Wolf en Hond

Sylvia Vanden Heede

Wolf en Hond

met illustraties van
Marije Tolman

lannoo

SPEK

Hond is de neef van Wolf.
Wolf is de neef van Hond.
Dat is raar, want:

Wolf is wild.
Hond is tam.

Wolf woont in het bos op de berg.
Hond niet.
Hond heeft een mand.
En een baas.

Hond is wit met een vlek op zijn oog.
Wolf heeft geen vlek.
Hij is grijs van kop tot teen.

Wolf belt aan bij Hond.
Op de deur staat:

De baas is niet thuis.
Dat is maar goed ook.
Want Wolf is bang voor de baas.

'Dag Hond', gromt Wolf.
'Dag Wolf', blaft Hond.
'Bijt me niet.
Je bent mijn neef.

Dat weet ik wel.
Maar ik ken je.
Je blijft een wolf.
Jij bijt als je trek hebt.'

Wolf klapt zijn muil dicht.
Hij kijkt sip.
Het is waar wat Hond zegt.
Als hij trek heeft, bijt hij.
Daar kan hij niets aan doen.
En Wolf heeft vaak trek!
'Wat heb je voor mij?' vraagt Wolf.
En hij likt zijn bek.

'Spek', zegt Hond.
'En brood. En kaas.
En ook nog wat sla.'

Wolf trekt zijn neus op.
Sla lust hij niet!

'Sla is groen.
En ik eet geen groen.
Geef mij maar rood.
Rood vlees!
Rauw vlees!
Rauw en rood van bloed!
Groen is goed voor een koe.
Of een geit.
Of een lam of een kalf.'

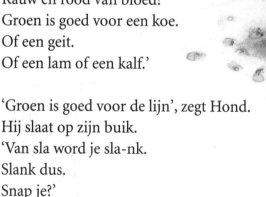

'Groen is goed voor de lijn', zegt Hond.
Hij slaat op zijn buik.
'Van sla word je sla-nk.
Slank dus.
Snap je?'

'Ha ha!' lacht Wolf. 'Wat een grap!
Maar het klopt niet, hoor.
Want jij eet sla.
En toch ben je niet slank.
Je bent zo rond als…'
'Ja, ja', zegt Hond gauw.
'Jij houdt van rijm.
Dat wist ik al.
Schei maar uit of ik blaf.
Ik blaf heel hard, als een gek.
En dan komt mijn baas.
Is het dat wat je wou?'

Wolf is al stil.
Hij kijkt naar Hond.
Hond bakt spek in een pan.
Vet spek!
Het zegt: kst, kst!
Het spek kist.
Zo heet dat:
Het spek kist in het vet.

Mmm, wat ruikt dat goed!
Wolf wordt er gek van.
Gek van de trek!
'Het is zo klaar', zegt Hond.
Hij zet het vuur laag.
Dan pakt hij een bord.
En een mes en een vork.
Die legt hij naast het bord.
Hij pakt de pan…

Maar wat is dat?
Waar is het spek?
Het is weg! Het is op!

'Wolf!' roept Hond.
'Was jij dat?
At jij het spek?
At jij het zo uit de pan?
Zo, in één hap?'

'Ja', zegt Wolf.
Hij veegt zijn bek schoon.
Hij lacht eens lief.
Hij schaamt zich niet eens!
'Mijn maag was leeg.
De pan was vol.
Nu is de pan leeg.
Maar mijn maag niet!'

Hond zucht.
'Wolf toch', zegt hij.
'Ik kan wel zien dat jij wild bent.
Jij eet niet, jij vreet!
Jij slokt in één brok!
Jij wilt geen mes en vork.
Je wilt niet eens een bord!'

Wolf laat een boer.
'Och, het scheelt in de vaat', zegt hij.
En dat is ook waar.

JEUK

Hond heeft jeuk.
Aan zijn kop.
Aan zijn staart.
Op zijn buik.
Op zijn rug.
Hij krabt met zijn poot.
Hij bijt in zijn vacht.
Het helpt niet.
De jeuk gaat niet weg!

'Ik denk dat ik een vlo heb', zegt Hond.
'Een vlo die mij bijt.'

'Een vlo?' lacht Wolf.
'Eén maar?
Ik heb er wel tien.
Of nog veel meer.'

Hond schrikt.
'Echt?' vraagt hij.
'Ja,' zegt Wolf.
'Ik tel ze niet, hoor.
Soms gaat er een weg.
Soms komt er een bij.
Soms vang ik er een stuk of wat.
Maar ik raak ze niet kwijt.
Nooit!
Ach, een wolf went er aan.
Je moet wel.
Na een poos voel je niks meer.'

'Ik wel!' zegt Hond fel.
'Jeuk is niet leuk!'
'Ha ha! Dat rijmt!' lacht Wolf.
'En rijm is leuk.

Haast net zo leuk als jeuk.'

Hond lacht niet.
'Flauw hoor!' roept hij.
Hij krabt en krabt.
Hij is zo boos!
Boos op de vlo.
Boos om de jeuk.

Plots zegt Hond:
'Ik wed dat hij van jou komt, Wolf!'
Daar kijkt Wolf van op.
'Wat?' vraagt hij. 'Of wie?'
'Waar dan? En hoe?
Wat komt er van mij?'

Hond zucht hard.
Hij krabt nog een keer.
'Die vlo!' snauwt hij.
'Jij was het, Wolf!
Ik kreeg die vlo van jou!
Je weet wel.

Toen jij bij mij was.
Toen je spek at.
Mijn spek.
Uit mijn pan!
In mijn huis!
Bij mijn baas!'

'O', zegt Wolf.
'Zit het zo?'
Dan is hij een poos stil.
Hij kijkt naar Hond.
Hij kijkt sluw.
Hij loert.
En hij lacht wat.
Maar hij lacht niet lief.
Zijn lach is vals!

'Nu snap ik het', zegt Wolf.
'Daar is die vlo dus!
Ik dacht al: ik mis iets.
Maar wat? Maar wat?
Ik wist het niet.

Maar nu wel!
Het was die vlo!
Die gaf ik niet aan jou.
Dat heb je mis!
Jij nam hem!
Jij bent een dief, Hond!
Jij steelt!'

Hond wordt bleek.
Zijn neus is wit.
En de vlek om zijn oog ook.
Wolf trekt zijn lip op.
'Geef die vlo aan mij', gromt hij.
'Geef hem gauw!
Pak hem met je bek.
Of wil je dat ik het doe?
Wil je dat ik je bijt?
Mijn trek is groot.
Mijn keel is diep.
Kom hier, dat ik je pak!'

Hond is zo bang, zo bang!
Wolf is zijn neef.
Dat weet hij wel.
Maar Wolf is ook een wolf.
En dat is en blijft een wild dier!

'Pas op, hoor!' keft Hond schel.
'Pas op of ik blaf!
Ik roep heel hard:

Baas! Baas!
Er zit een wolf in het bos!
Is het dat wat je wou?'

Wolf klapt zijn muil dicht.
Hij is een poos stil.
Hij gromt niet meer.
'Goed dan', zegt hij.
'Hou die vlo maar.
Het is een ruil.
Jij gaf mij spek
voor mijn bek.
En jij krijgt die vlo
van mij kado!'

Dat rijmt.
Wolf lacht.
'Want rijm is leuk', zegt hij.
En Hond lacht ook.
Want het liep goed af.
Een vlo bijt, dat is waar.
Maar hij bijt niet zo hard als Wolf!

GIF

Wolf belt aan.
'Ha, die Hond!' grijnst hij.
'Hoe gaat het met mijn vlo?
Eet hij goed?
Bijt hij nog wel eens?'
'Ja, hoor', zegt Hond.

Hij krabt zijn oor en zegt:
'Met je vlo gaat het best.
Maar niet lang meer.
Zie je dit?'
En hij wijst naar de band om zijn hals.

Wolf lacht wat.
'Dat is een band', zegt hij.
'Een halsband.
Echt iets voor jou, Hond.
Wacht, ik weet een lied.
Ik zing het voor jou:

Jij hebt een baas en een band.
En een lijn en een mand.
Jij bent zo mak als een lam.
Jij Hond, jij bent tam!'

Hond vindt het niet leuk.
Hij denkt gauw na.
'Wacht, ik weet ook een lied', zegt hij.

En Hond blaft schor:
'*Wees jij maar wild als je wilt.*'

Wolf houdt zijn kop scheef.
'Hm, niet slecht', zegt hij.
'Het rijm is er al.
Kort en goed.
Maar je houdt geen toon.
En je zingt vals.'

'Ik was nog niet klaar', zegt Hond.
Hij neemt een hap lucht.

'Al ben ik tam, ik ben niet dom.
Ik heb een gifband om.
Daar gaat die vlo
van do.'

'Ha, ha!' lacht Wolf luid.
'Wat een raar vers!
Hoor maar:
De vlo gaat do.
Dat kan niet.
Do is een noot.
Net als re. Of fa.
Of sol. Of mi.
Of…'

'O, dat weet ik wel', zegt Hond.
'Maar do rijmt zo leuk op vlo.'
'Het rijmt stom', vindt Wolf.

Hond gromt eens.
Hij is uit zijn hum.
'Jij je zin, Wolf', zegt hij.
'Ik zing het lied nog eens.
Maar niet met do.
Dat kan best.
Let goed op!'

En Hond zingt:

'Wees jij maar wild als je wilt.
Al ben ik tam, ik ben niet dom.
Ik heb een gifband om.
Daar gaat die vloot
van dood.'

Nu schrikt Wolf heel erg.
'Dood!' roept hij uit.
'Hoor ik het goed?
Zei je "dood"?'

'Ja, Wolf', zucht Hond.
'Je vlo gaat dood.
Kijk niet zo woest.
Ik kan er niets aan doen.
Het is de schuld van mijn baas.
Hij wil geen vlo in huis.
Hij deed mij die band om.
In de band zit gif.
Ik word er niet ziek van.
Maar de vlo wel.
Ach, het is zo erg!
Nog een poos en de vlo… sterft!'

Hond veegt een traan weg.
Hij snuit zijn neus.
Hij zucht heel, heel diep.
En wat kijkt hij triest!

Maar plots lacht hij.
Hij zegt:
'Ik weet wat, Wolf.
Jij bent wild.

Jij hebt geen baas.
Jij hebt geen band.
Dat klopt toch?'

'Wis en waar', knikt Wolf trots.
'Ik ben zo wild als wat.'

Nu lacht Hond nog meer.
'Dan moet die vlo naar jou', vindt hij.
Wolf schudt met zijn kop.
'O nee', zegt hij.
'Nee hoor, Hond.
Daar komt niets van in.'
Maar Hond houdt vol.
'Geef de vlo een kans, Wolf.
Toe, red hem nu het nog kan!'

En weet je wat Hond doet?
Hij komt heel dicht bij Wolf.
De vlo neemt een sprong…
En hup!
Nu zit hij weer bij Wolf.

'Au!' roept Wolf.
'Die vlo prikt!'
Hond lacht.
'Ach Wolf', zegt hij.
'De vlo is zo wild als jij.
Als hij trek heeft, dan bijt hij!'

En dat rijmt!

FLAUW

Het is mooi weer.
De zon schijnt.
Het waait wat.
Maar het is niet echt koud.

Hond kijkt door het raam.
'Ik wil er op uit', zegt hij.
'Ik doe mijn jas aan.
En ik zet mijn pet op.'
Hond is trots op zijn pet.
Het is een pet met een klep.

Kijk, daar gaat Hond.
Hij fluit een lied.
Wat staat die pet hem goed!
Wat is hij knap in zijn jas!

Wie komt daar aan?
Het is Wolf.
Hond fluit niet meer.

Hij neemt zijn pet af.
Hij knikt en buigt.
Hij groet.

'Dag', zegt Hond.
'Gat!' roept Wolf.
En hij lacht hard.

'Gat?' vraagt Hond.
Hij kijkt naar zijn jas.
Hij kijkt naar zijn pet.
'Waar zit een gat, Wolf?
Ik zie niets!'
'Stien!' roept Wolf nu.
En hij lacht nog meer.

Hond zucht.
Hij vindt het niet leuk.
Wolf lacht hem uit!
En hij was nog wel zo trots!
Hij was trots op zijn pet en zijn jas.

'Wat is er, Wolf?
Je doet zo raar', zegt Hond.
'Raar?' vraagt Wolf.
'Raar is raar!
En raar blijft raar.
Echt waar!
Draai raar maar om.
Dan hoor je het zelf.'

'O', zegt Hond.
Hij snapt het al.
'Dag' wordt 'gat'.
En 'niets' wordt 'stien'.
Maar 'raar' blijft 'raar',
hoe je het ook draait of keert.

Hond zet zijn pet weer op.
Hij knoopt zijn jas dicht.

'Is het geen leuk spel?' vraagt Wolf.
Hond schudt zijn kop.
'Nee', zegt hij.
'Eén!' gilt Wolf.
Hij rolt op de grond.
Wat heeft hij een lol!

Maar Hond lacht niet.
Hij vindt het spel stom!
Toch speelt hij het mee.
Hij denkt hard na.
Dan zegt hij sluw:
'Weet jij wat je bent, Wolf?'
'Flauw!' roept Wolf.

En dat klopt nog ook.

STAM

Hond gaat naar Wolf.
Hij heeft een boek bij zich.
Het is een boek van zijn baas.

'Dag Hond', zegt Wolf.
'Dag Wolf', zegt Hond.
'Bijt me niet.
Je bent mijn neef.
Maar je blijft een wolf.
En je bijt, ook al heb ik een boek.'

Wolf klapt zijn bek dicht.
'Een boek?' vraagt hij.
'Wat moet ik met een boek?
Ik lees niet.'
Hond lacht.
'Dat weet ik wel.
Maar *ik* lees.
En het is een mooi boek.
Kijk zelf maar', zegt hij.

Wolf pakt het boek.
Het is groot en zwaar.
Er staat een hond op de kaft.
De hond lijkt niet op Hond.
Hond is wit.
De hond op het boek is zwart.
Hij heeft lang haar.
Zijn tong hangt uit zijn bek.

'Wat een raar beest', zegt Wolf.
'Een hond hoort wit te zijn.
Een hond is wit met een vlek.
Net als jij, Hond.'

Hond schudt zijn kop.
'Nee, hoor', zegt hij.
'Een hond kan wit zijn.
Of zwart. Of bruin.
Of grijs. Of bruin met wit.
Of zwart met bruin.
Of bruin met zwart.
Dat hangt af van het ras.'
Wolf snapt het niet goed.
'Wat is een ras?' vraagt hij.
'Een ras is een soort soort', zegt Hond.
'Neem nu een kees.
Dat is een soort.
Of een mops.
Of een dog.
Een kees is waaks.

Een dog doet stoer.
De neus van een mops is plat.
Zo heeft elk ras wel iets.'

'Wat weet jij een boel!' zegt Wolf.
Hond lacht trots.
Hij zet een borst op.
'Ik lees heel veel.
Daar komt het door.
Ik las het boek van mijn baas', pocht Hond.
'Nu heb ik het boek uit.
Neem jij het maar.
Leen het voor een poos.
Je steekt er vast iets van op.
Dan word je net zo slim als ik!'

Wolf gromt.
Hij leest geen woord.
Dat kan hij niet!
Maar hij kijkt wel.
Hij kijkt op elk blad.
En wat ziet hij veel!

Hij ziet een ras met lang haar.
En een ras met kort haar.
En een ras met een krul in zijn staart.
Er is zelfs een ras dat geen staart heeft!

Wolf zoekt een ras dat hij kent.
Hij zoekt het ras van Hond.
Maar dat vindt hij niet!

'Hond, hond!
Welk ras heb jij?' vraagt Wolf.
Hond krijgt een kleur.
'Geen', zegt hij zacht.
'Ik ben half dit en half dat.'
'O', zegt Wolf.
Hij kijkt goed naar Hond.
Hond ziet er toch echt heel uit!

'Ik heb geen stamboom', legt Hond uit.
'O, is het dat maar?' lacht Wolf.
'Je mag best een boom van mij.
Die eik daar.

Of wil je een beuk?
Of een berk of een spar?
Moet de stam dik zijn of dun?
Kies maar uit.
Ik heb een heel bos.
Eén stam mis ik heus niet.'
Hond zucht eens.
Hij schudt zijn kop.
'Een stamboom is geen boomstam, Wolf.
Die groeit niet in een bos.
Een stamboom is een blad.'

Wolf krabt zijn kop.
'Een blad van een boom?' vraagt hij.
'Eerst wou je een stam.
Nu wil je een blad.
Straks vraag je een tak!
Of een kruin!
Of heel mijn bos!'

Maar Hond zegt:
'Het is geen blad van een boom.
Het is een blad
als in een boek.
Op dat blad staat
de naam van je pa.
En de naam van je ma.
En de naam van de pa van je ma.
En van de ma van je ma.
En van de pa van je…'
'Ja, ja, ik heb het door', jokt Wolf.
Hij is het zo zat, zo zat!

Hond klapt het boek dicht.
Hij kijkt om zich heen.
Daar staat een eik.
De eik is oud en dik.
Hond grijnst.
'Mag ik?' vraagt hij.
En hij wijst naar de eik.

Wolf grijnst ook.
Hij knikt.
'Het is geen stamboom',
zegt Hond.
'Het is een boomstam',
zegt Wolf.
'Net goed', zegt Hond.
Hij tilt zijn poot op.
Wolf tilt ook zijn poot op.
En dan doen ze
elk een plas.

HELD

Hond zit in zijn mand.
Hij kijkt door het raam.
De baas is niet thuis.
Dus houdt Hond de wacht.
Dat hoort zo.

Af en toe blaft Hond.
Hij blaft naar een fiets op de weg.
Hij blaft naar een blad in de wind.
Hij blaft naar een poes bij het hek.
Dat is de plicht van Hond.
Hij doet wat moet.
Maar wat is dat saai!

Daar loopt een man.
Hond blaft.
Daar vliegt een duif.
Hond blaft.
Daar hipt een mus in het gras.
Hond blaft.

Hond gaapt.
Het is zo saai, zo saai!
O, kwam er maar een boef!
Stond er maar een dief voor de deur!
Dan zou je eens wat zien!
Dan beet Hond de dief in zijn bil.
Dan werd hij een held!
Wie weet kwam hij dan in de krant!

Hond gaapt nog een keer.
Hij voelt zich suf en loom.
Kijk, weer een fiets.
En weer een blad.
En weer een poes en een duif.

'Waf, waf', blaft Hond zacht.
Hij is zo moe!
Hond krult zich op in zijn mand.
'Ik val heus niet in slaap', bromt hij.
'Ik waak… voor… mijn…'
Plots zegt Hond niets meer.
En na een poos snurkt hij!

Hond droomt.
Daar vliegt een fiets.
Een man loopt op de heg.
Er waait een poes in de wind.
En wat zit daar in het gras?

Hond schrikt.
Het is een boef!
De boef ziet er heel woest uit.
Hij zwaait met een scherp mes.
Hond blaft en blaft!
Maar de boef is niet bang.
Hij kijkt naar Hond en grijnst.
En hij tikt met het mes op de ruit…

Hond jankt en huilt.
De boef kruipt door het raam.
Snel wipt Hond uit zijn mand.
'Help! Help!' gilt hij.
'Baas, er is een boef in huis!
Red mij!'
Hard rent hij weg.
Maar de boef rent ook.
Hij haalt Hond in!

'Hond! Hond!' roept de boef.
'Ik ben het, Wolf!'

Hoe kan dat?
Weg is de boef!
Weg is het mes!
Hond ligt in zijn mand.
Voor het raam staat Wolf.

Wolf tikt hard op de ruit.
'Ha, daar ben je!'
gromt Wolf.

'Ik dacht al dat je doof was.'
'Dood?' schrikt Hond.
Bang kijkt hij naar zijn vacht.
Zit daar een gat in?
Stak de boef hem met zijn mes?
Is er bloed?
'Ik zei niet dood, maar doof', zegt Wolf.
'En laat me er nu maar in.
Schiet op!
Gauw!'

Hond doet de deur van het slot.
'Dat werd tijd', zucht Wolf.
Hij ploft neer op de bank.
Zijn tong hangt uit zijn bek.
Hij kreunt en klaagt.
'O, ik voel me zo zwak!
Ik hing wel een uur aan de bel.
Daar kreeg ik trek van.
Heel veel trek!
Geef me bier en vlees en soep en kaas.
Doe er een brood of zes bij.
Schep de kom goed vol.
Ik wil weer sterk zijn!'

Hond doet wat Wolf zegt.
Hij haalt brood, soep, kaas en pap.
In de kast ligt een stuk worst.
Dat eet hij zelf op.
Gauw, voor Wolf het ziet!

'Waar blijft mijn bier?' zeurt Wolf.
'Bier krijg je niet', zegt Hond streng.

'Al het bier is voor mijn baas.
Als je het pakt, ben je een dief.
En een dief… bijt ik in zijn bil!'
Hond gromt heel woest.

'Ha, ha!' lacht Wolf hard.
'Dat jok je, Hond!
Jij bijt nooit!
Dat durf je niet!
Daar ben je veel te mak voor!'

Hond bloost.
Hij denkt aan zijn droom.
Wat was hij bang!
En het was niet eens echt.

'Toch kan ik best een held zijn', zegt Hond.
'Ik blaf als het kan, ik bijt als het moet.
Wacht maar eens af, dan zul je wat zien.'

Maar er komt geen boef.
En een dief komt er ook niet.
Er komt een poes en een duif.

Een man fietst door de straat.
De wind jaagt een blad voor zich uit.
Hond blaft en blaft.

En Wolf?
Wolf gaapt en gaapt!
Het is ook zo saai!
Zo heel erg saai!
'Waar blijft die boef?' geeuwt hij.

En:
'Komt de dief er al aan?'

Hond vindt het niet leuk.
'Lach jij maar, Wolf.
Geen dief durft hier langs.
Dat komt door dat bord op de deur.
Daar staat op:

En dat doe ik ook.
Een boef weet dat.
Het bord jaagt de boef weg.'

Wolf grijnst.
Sluw zegt hij:
'Als jij echt een held bent…

Dan weet jij vast wel raad met een poes.'

Nu is het Hond die lacht.
'Een poes!' roept hij uit.
'Ben jij bang voor een poes, Wolf?'
'O nee', zegt Wolf vlug.
'Bang ben ik niet.
Wat denk je wel!
Maar ik heb er last van, zie je.
Die poes woont in mijn bos.
Ze doet of de plek van haar is.
En ze wil er niet weg.'

'Blaf dan', zegt Hond.
Wolf krijgt een kleur.
'Dat kan ik niet', zegt hij.
'Dat weet je best, Hond.
Ik ben een wolf en ik huil.
En de poes lacht mij uit.'

'Tja', zegt Hond.
Wolf zucht diep.

Hij zegt:
'Jij blaft hard en goed.
Toe, Hond.
Blaf voor mij.
Jaag de poes het bos uit.
Dan ben je echt een held.'

Hond denkt niet lang na.
'Ik doe het!' zegt hij stoer.
'Maar dan wil ik wel in de krant.'
'Daar zorg ik zelf voor', zegt Wolf.
Hij spuugt in zijn klauw.
Dan geeft hij Hond een poot.
'Een wolf, een woord', zegt hij.
'Kom zo gauw je baas thuis is.'
'Goed', zegt Hond. 'Tot zo!'
'Tot zo', zegt Wolf.

BLAF

'Hier ben ik dan', zegt Hond.
'Ik kom voor de poes.
Weet je nog wel?'
Wolf knikt.
Hij kijkt naar Hond.
Die heeft een fles bij zich.
Daar neemt hij een slok van.

'Wat zit daar in?' vraagt Wolf.
Hond neemt nog een slok.
Dan veegt hij zijn mond af.
'Sterk spul', zegt hij.
'Het smeert de keel.
Ik moet goed bij stem zijn.
Geen stem?
Dan ook geen blaf.
En op de blaf komt het aan.'
Hond draait de dop op de fles.
'Kom op met die poes, Wolf.
Ik ben er klaar voor!'

Het bos van Wolf is groot.
Er is geen pad.
Wolf wijst de weg.
Hond loopt met hem mee.
Het is een heel eind.
Hond hijgt.

Zijn tong hangt uit zijn bek.
'Zijn we er nog niet?' zeurt hij.
'Het is zo ver en zo warm!
En ik heb dorst.'
'Drink dan uit je fles', zegt Wolf.
Maar dat kan niet.
In de fles zit sterk spul.
Eén slok kan geen kwaad.
En twee ook niet.
Maar meer?
Nee hoor.
Daar word je ziek van!

'Hier is het', zegt Wolf plots.
Hij staat stil.

Hij kijkt om zich heen.
Hond kijkt ook om zich heen.
Er is geen poes te zien.

'Waar is die poes dan?' vraagt Hond.
'Daar… of daar', wijst Wolf vaag.
'Ze komt heus wel.
Soms is ze er een poos niet.
Een uur of zo.'
'Een uur!' roept Hond.
'Ik blijf geen uur, hoor!
Wat denk je wel?
Daar heb ik de tijd niet voor.
Mijn mand wacht op mij!'

'O, een uur is nog niks', zegt Wolf.
'Af en toe blijft de poes een dag weg.
En één keer was het een week.
Ik dacht al dat ik haar kwijt was.
Maar niets van.
Plots stond ze daar weer.
In mijn bos!
Net of dat mag.
Er is maar één berg.
En op die berg staat één bos.
En in dat bos woon ik.
Hier is geen plek voor twee.'

'Kss!' hoort Hond.
Het komt uit een boom!
'Kss, kss, kss!'

En dan springt er iets op de grond.
Wat een beest!
Zo groot!
Zo wild!
Zo fel!

Hond slaakt een gil.
'Dat is geen poes!' roept hij.
'Dat is een leeuw!'

Wolf lacht.
'Wel nee', zegt hij. 'Een leeuw sist niet.
Een leeuw brult.

Een leeuw is groot en geel.
Er groeit een boel haar op zijn kop.
Nee hoor, Hond.
Kijk maar goed.
Dit is geen leeuw.
Dit is echt een poes!'

'Ik ben geen poes!
Ik ben een kat!' blaast het dier kwaad.
'Een poes is klein en lief.
Een poes slaapt op schoot.
Een poes eet rund uit blik. Maar ik?
Ik ben zo wild als Wolf.
Ik ben een kat van het bos!
Kss!'

'Een kat van het bos?
Dat kan best!
Maar niet van mijn bos!' roept Wolf.

Hij rent naar de kat.
Hij gromt en huilt.

En de kat?
Die drijft de spot met hem!
Ze krijst:
'Snik en snuit!
Veeg die traan weg!
Huil het maar uit!'

Het rijmt, dat wel.
Toch vindt Wolf het niet leuk.
Hij schudt zijn vuist.
De kat haalt uit met een klauw.
'Scheer je weg, beest!' roept Wolf.
'Let maar op!
Ik heb mijn neef bij me.
Die blaft je zo weer de boom in.'

De kat kijkt naar Hond.
Ze lacht vals.
'Is dat je neef, Wolf?
Dacht je dat ik daar bang voor was?
Voor een hond van niks?'

'Mijn neef is een held', zegt Wolf.
'Hoor maar.
Toe, Hond.
Toe, blaf dan!'

Hond kucht eens.
Hij schraapt zijn keel.
'Piep!' zegt hij.
O, wat erg!
Zijn blaf is weg!
Dat komt door de stress!
Daar kan hij niets aan doen.

De kat proest het uit.
'Nu zie ik het!
Ik had het mis, Wolf.
Je neef is geen hond.
Je neef is een muis!' spot ze.
'Dat komt mij heel goed uit.
Ik heb net trek in muis.
Ik eet je neef op met huid en haar.'
En ze likt haar bek…

Maar Hond wordt boos, zo boos!
'Wat? Ik? Een muis?' brult hij.
'Hoe durf je!'
Woest zwaait hij met zijn fles.

'Hier zit een drank in.
Het is sterk spul.
Eén slok en ik word dol.
Dan zul je wat zien!'

Het is niet waar wat Hond zegt.
De drank is voor de blaf.

Maar dat weet de kat niet.
Ze wordt bleek.
Ze slikt eens.
Voor een hond is ze niet bang.
En voor een wolf ook niet.
Maar voor een hond die dol is…
Hond doet vast de dop van de fles.
Hij zet de fles aan zijn mond…
'Al goed, al goed', zegt de kat vlug.
'Het was maar een grap.'
Gauw draait ze zich om.
'Nu moet ik echt gaan', zegt ze.
'Ik bleef al veel te lang.
Het was leuk, Wolf.
Ik kom nog wel eens langs.'
En dan rent ze weg.
Wat heeft ze een haast!

Hond kijkt haar na.
'Wat een kreng', gromt hij.
'Dat noemt mij een muis.
Stel je voor!

Ik, een hond!'
Hij drinkt een teug.
Hij laat een boer.
'Ik ben een hond!' zegt hij nog eens.

Maar Wolf zegt:
'Toch niet, Hond.
Je bent geen hond.
Jij bent een held.
Want jij joeg die kat weg.'

Hond neemt nog een slok.
'Waf, waf!' blaft hij blij.

KRANT

Hond kijkt in de bus.
Zou er al post zijn?
Ja hoor!
Daar ligt de krant.
Gauw leest Hond hem door.
Staat het er in?
Hield Wolf zijn woord?

Nee!

Hond draait elk blad om.

Hij zoekt en zoekt.
Hij leest:

en

en

Maar er staat niet:

Hond is woest.
Hij belt naar Wolf.

Wolf neemt op.
'Met Wolf', zegt hij.
'Hond hier!' blaft Hond.
'Las je de krant al?
Dan snap je vast dat ik boos ben.
Heel erg boos!
Je zei: *Een wolf, een woord.*
Maar daar klopt niets van.
Je loog!
Want ik sta niet in de krant.
En toch ben ik een held.
Dat zei je zelf.'

Wolf lacht.
Het klinkt heel naar.
'O, wat ben je dom!' spot hij.
'Ik ben een wolf, dus lieg ik.
Dat weet je toch!
Goed, je staat niet in de krant.

En wat dan nog?
Maak je daar niet zo druk om.
Wie leest de krant nou?
Ik niet!'

'Maar…'

'Je joeg de kat weg.
Dat was net wat ik wou.
Meer hoeft voor mij niet.
De krant was een val.
En jij liep er zo in!'

'Wat vals van jou!' roept Hond.
Wolf lacht nog meer.
'Dag Hond!
Leuk dat je belt.
Maar nu hang ik op', zegt hij.

'Tuut, tuut!' hoort Hond.
Wolf is niet meer aan de lijn.
Hond gooit de hoorn neer.

Wat is hij kwaad!
Maar er valt niets aan te doen.

Wolf zit in het bos.
Hij lacht in zijn baard.
Wat had hij Hond goed beet!
Hij heeft geen spijt.
O, nee!
Hij is en blijft een wolf.
Hij bijt als hij trek heeft.
Hij liegt als hij wil.
Pech voor Hond.
Wat heeft Wolf een lol!

Hond ligt in zijn mand.
Hij zint op wraak.

Wraak is een raar woord.
Je leest een W.
En je hoort een V.
Dus moet het zo zijn:
Hond zint op vraak.

'Ik straf Wolf', gromt Hond.
'Ik doe net zo naar als hij.
Dat zal mij goed doen.
Want wraak is zoet!'
Hond denkt en denkt.
En plots weet hij het!
Hij heeft een plan.
Een heel naar plan…

Wolf zit in zijn bos.
Hij fluit een deun.
Maar wat is dat?
Daar komt een poes!
De poes is zacht en wit.
Ze zwaait met een krant.
'Dag!' roept ze.

'Bent u Wolf?'
Wolf hapt naar lucht.
Wat doet die poes hier?
Wat wil ze van hem?
De poes loopt recht op Wolf af.
Nu staat ze pal voor zijn neus!

'Wat moet je?' gromt Wolf.
'Bent u Wolf?' vraagt de poes weer.
'Wat zou dat?' snauwt Wolf.
'Ik kom voor het bos', zegt ze.
'Het bos?' vraagt Wolf.
'Ja', knikt de poes.
'Het bos uit de krant.
Ik las het bij TE HUUR.'

De poes laat Wolf de krant zien.
Dit is wat er staat:

```
TE HUUR
Grt bs te hr
~Gd vr ps ~
~Kt mg ook~
Vrg nr Wolf
```

Wolf krijgt een kleur.
Hij leest geen woord!
Dat kan hij niet.
Hij weet niet eens wat A of B is.
'Lees jij maar voor.
Ik heb mijn bril niet bij me', jokt hij.

'Goed, hoor', zegt de poes.
Ze leest:
'Groot bos te huur.
Goed voor poes.
Kat mag ook.
Vraag naar Wolf.'
Dan vouwt ze de krant op.
'Is het bos nog vrij?' vraagt ze.

'Of ben ik te laat?'
'Te laat?' schreeuwt Wolf.
'Te laat?
Je bent veel te vroeg!
Dit is mijn bos en het is niet vrij.
Ga weg, want ik ben erg boos!
Ik wil jou hier nooit meer zien!'

De poes zet een rug op.
Haar staart is dik.
'Ssh! Wat ben jij eng!' sist ze.
'Heel erg eng!' grauwt Wolf.
'Wat dacht je?
Ik ben wild!
Ik ben een wolf!
Ik bijt je!
Ik pak je!'

Wolf hapt naar de poes.
Maar die is snel.
Veel te snel voor Wolf!
'Hier, die is voor jou!' krijst ze.

En ze geeft Wolf een mep.
Met de krant! Op zijn kop!
Dan rent ze hard weg.

Wolf voelt aan zijn kop.
Hij heeft de pest in.
Zijn bos is niet te huur.
Toch stond het zo in de krant.
Hoe kan dat?
Wie deed dat?
'Hond', zegt Wolf dan.
'Ik wed dat Hond hier meer van weet.'

Wolf belt Hond.
Hond neemt op.
'Hond hier', zegt Hond.

'Met wie spreek ik?
En wat kan ik voor je doen?'
'Een boel!' raast Wolf.
'Ik ben boos, zo boos!'
'O?' zegt Hond.

'Ja. Jij doet heel naar.
Geef het maar toe.
Jij zet mijn bos te huur!
Jij stuurt een poes op me af.
Hoe durf je!' roept Wolf.

Maar Hond lacht.
'Vond je het leuk, Wolf?
Of hou je niet van een grap?'
Nu is Wolf pas echt boos.
'Een grap? Noem jij dat een grap?
Mijn bos stond in de krant!'

Nu lacht Hond niet meer.
'Ach Wolf', zegt hij.
'Maak je daar niet zo druk om.
Wie leest de krant nou?'

'Maar…'
'Dag Wolf!
Leuk dat je belt.

Maar nu hang ik op', zegt Hond.

'Tuut, tuut!' hoort Wolf.
Hond is niet meer aan de lijn.
Wolf gooit de hoorn neer.
Wat is hij kwaad!
Hond was hem te slim af.

En daar valt niets aan te doen!

DIEF

Het is nacht.
Hond slaapt.
De baas slaapt.
Er schijnt geen maan.
Er brandt geen licht.
Er straalt niet één ster.
De nacht is zwart als inkt.
En er sluipt een dief om het huis!

Ziet Hond de dief?
Nee.
Hoort hij iets?
Nee!
De dief doet heel stil.
Hond slaapt.
Zijn mand is zacht en warm.
En hij droomt zo mooi!

De dief staat voor de deur.
Zijn jas is wijd en zwart.

Hij heeft een kous op zijn kop.
Zo kun je niet zien wie het is.
De dief klopt niet.
Hij belt niet aan.
Maar hij breekt ook niet in!
Wat wil die dief toch?
Wat doet hij nu?
Nee toch!
Hij steelt het bord van de deur!
Het is het bord met:

PAS OP! IK WAAK VOOR MIJN BAAS!

De dief stopt het bord in een zak.
Hij kijkt nog eens goed om zich heen.
Dan loopt hij zacht weg.

Het is dag.
Hond gaapt.
De zon is al op.
Maar de baas niet.
Hond komt zijn mand uit.
Hij moet naar de tuin.
Daar doet hij een plas.
Hij tilt zijn poot op.
Ha, dat doet goed!
Dan pas ziet Hond het bord.
Of nee.
Hij ziet het bord niet!
Want het bord is weg!
Wat een ramp!

'Baas! Baas!
Kom gauw!
Er was een dief!' blaft Hond.
'Een dief die het bord stal!'
Maar de baas komt niet.
Hij ligt nog in zijn bed.
En hij wil er niet uit!

'Ook goed', gromt Hond.
'Dan los ik het zelf wel op.
Ik weet best hoe het moet.
Ik ben niet voor niets een held!'

Eerst ruikt Hond aan de deur.
'Hmm', zegt hij.
Dan drukt hij zijn neus in het gras.

Hij snuift diep.
En nog een keer.
En nog eens.
Is hij de dief op het spoor?
'Hmm...' zegt Hond weer.

Hij krabt op zijn kop.
'Wat raar', zegt hij.
'Ik ruik geen dief.
Ik ruik... ik ruik...
Ik ruik Wolf!'

Plots gaat Hond een licht op.
'Ik weet het!' roept hij.
'Wolf is de dief!'

Zou dat echt waar zijn?
Het kan!
Wolf is en blijft een wolf.
Hij bijt als hij trek heeft.
Hij liegt als het hem past.
Hij steelt wat hij wil.
Want Wolf is zo wild als wat.

Hond wordt heel boos op Wolf.
Gauw rent hij de tuin uit.
Hij volgt het spoor niet eens.
Dat hoeft niet.

Hij kent de weg toch!
Hij rent recht naar het bos.

En kijk! Hond ziet het al van ver.
Daar staat het bord!
Er ligt een jas naast.
En een kous.

Hond ruikt aan de jas en de kous.
'Net wat ik dacht', gromt hij.
'Het is de geur van Wolf.
Hij is de dief.
Dat staat nu wel vast.
Ik ga naar hem toe.
En dan zul je wat zien!'

Wolf zit net aan zijn maal.
Hij stopt zijn bek vol.
Het vet druipt van zijn kin.
Hij hapt en slikt en schrokt.
'Ha, Hond!' smakt Wolf.
'Wat leuk dat je komt!'

'Niks leuk', gromt Hond.
'Ik kom voor het bord.'
Wolf grijnst.
'Het bord? Welk bord?
Ik heb geen bord.
Dat zie je toch!
Ik eet zo uit de pan.
Daar kan meer in.
En dat moet ook.

Want ik heb trek.
En ik ben geen vrek!'

Wolf giert het uit.
'Dat rijmt!' roept hij.
'Ik ben dol op rijm!
Rijm is zo leuk, zo leuk!
Maar het is ook echt waar.
Ik ben geen vrek.
Want jij mag ook een hap, Hond.
Kom, eet met me mee.'
Wolf gooit Hond een bot toe.

'Lust je dat?
Of wil je een plak ham?
Of een lap vlees met bloed?
Of een eind worst of een stuk kip?
O, nee!

Ik zie het al!
Je wilt niets, want je bent te dik!
Je bent zo rond als Hond!'

Wolf lacht hard.
Hond vindt het niet leuk.
'Je stal mijn bord, Wolf', zegt hij.
'Je bent een dief.
En nog stom ook.
Want op het bord staat:

PAS OP! IK WAAK VOOR MIJN BAAS!

Wat moet jij met dat ding?
Je hebt niet eens een baas!
Voor wie waak jij dan?'

Nu heeft Wolf geen lol meer.
Hij kijkt op zijn neus.
'Ik waak voor mijn bos.
Dat is net zo goed', zegt hij gauw.
'Ha, ha!' spot Hond.

'Jij weet niet eens wat AA of O is.
Er staat niet B-O-S!
Er staat B-AA-S.
'Wat geeft dat', zegt Wolf.
'Als het bord maar helpt!
Het jaagt de kat weg en de poes ook.
Dat is wat telt.'
'Maar het is *mijn* bord', zegt Hond.
'En het is *mijn* bos', zegt Wolf.
'Ik moet toch wat?'

Hond en Wolf zijn een poos stil.

'Ik weet het', zegt Hond plots.
'Ik maak een nieuw bord.
Een bord voor jou, Wolf!
Ik weet wel dat je wild bent.
Je bijt en liegt en steelt.
Je boert.
Je snuit je neus niet.
Je leest geen krant.
Maar je bent mijn neef.
En dat blijf je.
Dus help ik je.
Dat hoort.'

'O? Echt?' vraagt Wolf blij.
'Doe mij dan een lol.
Maak gauw een bord met:

IK WOS VOOR MIJN BOS!'

'Ben je mal!' lacht Hond.
'WOS is toch geen woord!'
'Maar het rijmt wel.

Ik wil dat mijn bord rijmt', zeurt Wolf.
Hond denkt na.
'Goed', zegt hij.
'Jouw bord rijmt.
Daar zorg ik voor.'
'Poot er op?'
'Poot er op', zegt Hond.
Hij spuwt in zijn klauw.

Wolf spuwt ook in zijn klauw.
'Een hond, een woord', zegt Hond.
Dan gaat hij naar huis.
Maar hij neemt wel zijn bord weer mee.
Want Wolf krijgt er toch zelf een.
Een bord dat rijmt!

'Is mijn bord al klaar, Hond?'
'Nee. De verf is nog nat.'
'Mag ik het zien?'
'Het staat in de schuur.'
'Waar dan?'
'Daar in de hoek.'

'Wat staat er op?'
'Maakt dat wat uit?
Je leest het toch niet.'
'Maar rijmt het?'
'Ja.'
'Dan is het goed.'

www.lannoo.com/kindenjeugd
© Uitgeverij Lannoo nv, Tielt, 2009

ILLUSTRATIES
Marije Tolman

VORMGEVING
quod. voor de vorm.

D/2009/45/275
ISBN 978 90 209 8007 3
NUR 282